개가 마당으로
들어가요.

우주 신발이 있어요.
우주가 집에 왔나 봐요.

랄랄라 리듬을 타요.

개가 노래를 불러요.

책 발자국 Level 2

수박

글 김미혜 그림 차선희

교육공동체벗

선생님과 학부모님께

이 그림책은 초기 문해력 교육을 위한 수준 평정 그림책입니다.
아이의 읽기 행동을 관찰하고 기록한 결과를 바탕으로 아이의 눈높이에 맞는
책을 골라 주세요. 아이 스스로 책을 선택할 수 있게 해 주시면 더 좋아요.
그리고 가정과 학교에서 아이와 함께 안내된 읽기를 해 주세요.
이 책에는 한글의 일곱 번째 자음 'ㅅ'이 들어간 '수박', '신발', '수박씨',
'수북하다' 등의 낱말이 나옵니다. 책을 읽고 나서 'ㅅ'을 비롯해서
반복해서 나오는 말소리를 탐색하는 활동을 해 보세요. '씨'에 들어 있는
된소리 'ㅆ'과 'ㅅ' 소리를 비교해 보아도 좋고, 자음을 그대로 두고
모음을 바꾸어 새로운 낱말을 만들어 볼 수도 있어요.
좋아하는 과일에 대해 이야기를 나누어 봐도 좋습니다.

우주는 수박을
좋아해요.

우주가 마당에서
수박을 먹어요.

개도 수박을
좋아해요.

개도 마당에서
수박을 먹어요.

수박씨가 수북해요.